こども さんびか

2

日本基督教団讃美歌委員会編

序

　現行の『こどもさんびか』(1966年版) は、当時の日本基督教団教育委員会の責任のもと、同委員会のなかの教会学校専門委員会によって選ばれた、こどもさんびか委員会の編集によるものである。

　その後まもなく、こどもさんびか編集に関する業務は、日本基督教団の機構改正を機に、当讃美歌委員会に移管された。当委員会は、教会学校を含め、教会およびキリスト教主義学校などの諸団体で用いられるべき讃美歌について、総合的に配慮することになったのである。

　ところで『こどもさんびか』は、その序文にも明示されているように、「対象を小学生に限定する」ことにして編集されたもので、それを当委員会は引きついだことになる。そこで、その対象年齢の前後について考慮する中で、まず、中学生、ないし高校生のためには、そのころ当委員会が編集を終え、刊行していた『讃美歌第二編』(1967年版) をもって当てることにした。その後、わが国における讃美歌集発行100年を記念して (1974年)、エキュメニカルな委員構成で編集した『ともにうたおう－新しいさんびか50曲』(1976年刊) のなかにも、その線に沿うものがある。

　次に、学齢前の幼児を対象とした讃美歌集については、あらたに開拓すべき分野であるため、教団教育委員会との連絡、協議を含め、予備的な作業から始めて、やがて、幼児のためのさんびかを主な課題とする、歌集の編集に当たることになった。

　そのための編集委員会、制作委員会を実際に発足させたのは、1977年暮のことであったが、予備調査、資料蒐集の段階において、編集方針の確認をした。その主旨は、幼児のためだけのさんびか集を、全く新しく編集するのでなく、そのころすでに、発行後10年以上経過していた現行『こどもさんびか』に対する補充の必要を充たすことであった。そこで、歌集の名称も『こどもさんびか2』とすることにした。

　したがって、編集の方針は、現行『こどもさんびか』に引き続くものとして、かたちの上でも大差ないものとなるよう心掛けた。そして、番号は現行の1～84の続き番号として、

85番からにし、両歌集をあわせて用いるのに便利なようにした。

　このようにして編集された本歌集の特徴は、学齢前のこどものためにも適するものが、相当数入っている。その関連で、教会学校幼稚科、幼稚園、保育園の礼拝や生活の中で用いる可能性が、現行『こどもさんびか』だけのとき以上に広げられている。

　日本人による創作が大多数であるが、一般にも広く親しまれている作詞家、作曲家による作品、エキュメニカルに幅広い教会の人たちのもの、さらに、現場の教会学校教師や生徒たちによる作品も含まれている。

　また、数は少ないが、教団と協約関係にある、台湾、韓国の教会の歌、あるいはネパールのものも採り入れた。曲の面では、琉球旋法によるもの、また、コード・ネームの指示を付けて、鍵盤楽器以外のものによる伴奏の可能性も示すことにした。

　さらに、礼拝のことを考慮して、詩篇交読文も10篇加え、現行の1～8のつづき番号として9番からにした。これはとくに、教育委員会の協力によってできたものである。

　なお、本歌集編集にかかわる委員構成は、次のとおりである。

編集委員　（長）佐伯幸雄、今橋　朗、賀川純基、久世　望、小山章三、北村宗次（讃美歌委員会委員長）

制作委員　（歌詞）佐伯幸雄、小塩　節、賀川純基、北村宗次、佐久間彪、花房泉一
　　　　　（曲）久世　望、小山章三、佐藤泰平、G.W.ギッシュ、二俣松四郎
　　　　　（交読文）今橋　朗、岡崎　晃、早川　規、三井啓示
　　　　　（ガイドブック）原　　恵（讃美歌委員会書記）

　実務は、讃美歌委員会久保田和子主事と都留和夫嘱託が中心に担当し、のちに塩田尚史職員も加わった。

　このようにしてできあがった本歌集が、主の導きと祝福のうちに、教会教育の場を中心に有効に用いられ、主のみ名をほめたたえ、み栄えをあらわすものとなることを祈ってやまない。

　　　　1983年12月10日

　　　　　　　　　　　　　　　　　　日本基督教団讃美歌委員会
　　　　　　　　　　　　　　　　　　『こどもさんびか・2』編集委員会

目　　　次

V

初 行 索 引

VI

表紙装幀　麻里光一

かみさまに かんしゃ

85

詞：花房泉一 1981

曲：小山章三 1982

かみさまに かんしゃ しましょう

ハレルヤ ハレルヤ ハレルーヤ

かみさまは ※よいものを くださった

ハレルヤ ハレルヤ ハレルーヤ

※「よいもの」のところは，いろいろと自由に入れてもよい。

86 あかるいひかりを

詞：北村宗次 1981

曲：高田早穂見 1981
編曲：小山章三 1982

1. あかるい ひかりを てらして くださる
2. あなたを わたしを あいして くださる

かみさまの みなを さんびしま しょう
イェスさまの あとに したがいま しょう

（おわりに）♩=88

ちち み こ みたまの ま
ひと り の かみさ ま

ささげる れいはいを

うけいれてください アーメン

みんなでうたおう

詞：花房泉一　1979

曲：小山章三　1982

1.〜3. み ん な で う た お う ハ レ ル ヤ

1. しゅ イェス の あい が　ひ ろ　が る
2. しゅ イェス を きょう も　た た え て
3. こ ころ を あわせ　う た おう
ハ レ ル ハ レ ル ハ レ

ル　ヤ　ル　ヤ ハレル　ヤ ハレ

ル　ヤ ハレル ハレル ハレル ヤ

88 かみさまのあいは

詞：佐久間彪　1970

曲：佐久間彪　1970
編曲：新垣壬敏　1971

答 唱

1.〜4. かみさまの　あいは　しみと　おる

わ　た　し　た　ち　の　こ　こ　ろ　に　　ひ　の　ひ　か　り　の　よう　　に

詩 篇 148

1. やま　も　おか　も
2. もり　も　はやし　も
3. こども　も　おとな　も
4. さあ　　みん　な

いっ　しょに　　さ　ん　び　の　う　た　を　うた　おう

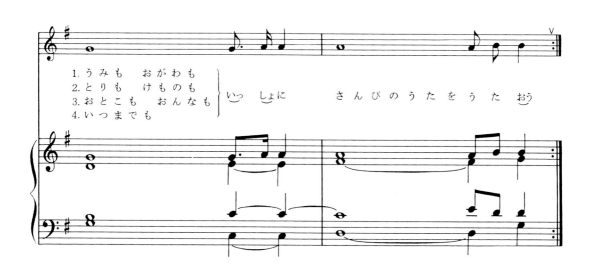

1. うみも　おがわも
2. とりも　けものも
3. おとこも　おんなも }　いっ　しょに　　　さんびのうたを　うた　おう
4. いつまでも

（おわりに）

かみさまの　あいは　しみと　おる

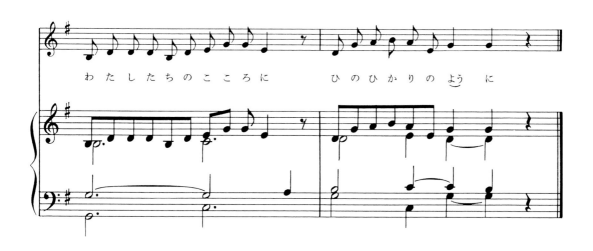

わたしたちのこころに　　ひのひかりの　よう　に

89

わたしたちは さかなのよう

詞：佐久間彪　1970

曲：佐久間彪　1970
編曲：新垣壬敏　1971

1. かみさまはうちゅうを　　つくられたー
2. かみさまはつきとほしを　　つくられたー
3. かみさまはもりとおがわを　つくられたー　　そのあいはえいえん
4. かみさまはわたしたちを　　つくられたー
5. かみさまを　　さんびしよう

（おわりに）

わたしたちはさかなのよう

かみさまのあいのなかでおよぐ

90

うたいましょう

詞：花房泉一　1982　　　　　　　　　　　　　　　　　　曲：二俣松四郎　1982

1. う　た　い　ま　しょう　　　　う　た　い　ま　しょう
2. ま　な　び　ま　しょう　　　　ま　な　び　ま　しょう
3. つ　た　え　ま　しょう　　　　つ　た　え　ま　しょう
4. お　ど　り　ま　しょう　　　　お　ど　り　ま　しょう

しゅ イェス の

おおきなおおきなあいを　－　－

1.2.3.　　　4.

あ か い は な

詞：高岡伸作　1981

曲：鈴木明子　1981
伴奏譜：小山章三　1982

あかるく すなおに ♩=98

1. あ か い は な　あ お い は な　き い ろ い　は な
2. あ か い と り　あ お い と り　き い ろ い　と り

い ろ ん な は な が　聞 い て ま す　か み さ ま の　お こ え を
い ろ ん な と り が　う た っ て ま す　か み さ ま の　め ぐ み を

92　　　　　　　　じぶんでつくった

詞：佐久間彪　1967　　　　　　　　　　　　　　　　　　　　　曲：小山章三　1982

おはなしをするように　♩=96

じぶんでつくった　さんびかを　　ダビデはいつも　　うたってた

「わたしたちが　　ひつじなら　　かみさまは　　ひつじかい」

おうさまになっても　さんびかを　　うたっているのが　すきだった

うたっているのが　すきだった

きょうもみんなに

詞：北野陽子　1981　　曲：高浪晋一　1981

1.～3. きょうも みんなに あえました

1. いっ しょに さんびか うたい ましょう
2. いっ しょに みことば を ききま しょう
3. いっ しょに おいのり ささげ ましょう

こころ を 一 そろえ て うたい ましょう
こころ を ろあわせ て きき まくしょう
「イェス さま に っしょ に いて くだ さーい」

94　あっちのいえから

詞：佐伯幸雄　1979　　　　　　　　　　　　　曲：二俣松四郎　1982

♩=114

あっ ち の いえ か ら　　こっ ち のいえ か ら

きみ も ぼくも　　あなたもわたしも　　あ つまってきた

きょう も イェス さま　　ここ にいて　　みんな なかよく　あ そ ぶ

たのしく　　　はじ まる　　きょうかいがっ こう
（よ　　う　ち　え　　ん）
（ほ　い　く　え　ん）

イエスさまはわたしの

95

詞：今駒泰成　1981　　　　　　　　　　　　　　曲：蒔田尚昊　1982

1. イエスさまは　　　わたしの　こころの　とをたたん
2. イエスさまを　　　おむかえ　しましょう　よろこん
3. イエスさまを　　　こころに　おむかえ　したわた

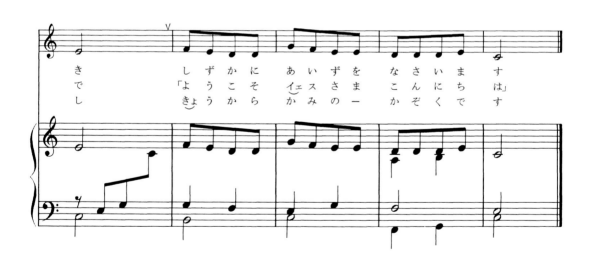

き　　　しずかに　あいずを　なさいまち　すは」
でし　　「ようこそ　イエスさま　こんにち　」
し　　　きょうから　かみの一　かぞくで　す

96 しゅイエスは まことのぶどうのき

詞：花房泉一　1982　　　　　　　　　　　　　　　　　曲：小山章三　1982

1.2. しゅ イエス は まことの　ぶどう の き —

あ な た も わ た し も　そ の こ え だ —

1. しゅ の あ い う けて　のびて いく —
2. しゅ に つ な が って　みを むすぶ —

こころをあわせ

097

詞：高橋信子　1981　　　　　曲：久世　望　1982

こころをあわせ　めをとじて

みんなで　おいのり　いたします

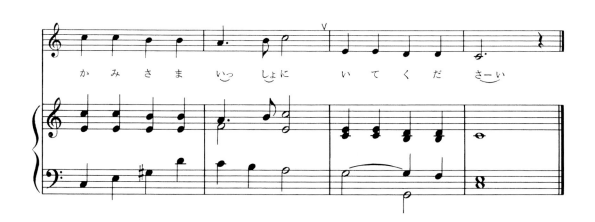

かみさま　いっしょに　いてくだ　さーい

98

おいのりしましょう

詞：佐伯幸雄　1979　　　　　　　　　　　　　　　　　　　　曲：二俣松四郎　1983

おいのりしましょう　かみさまに

こころを　あわせて　いのりま　しょう

（黙禱）お祈りの準備をする

せいしょはてんから

詞：花房泉一　1974　　　　　　　　　　　　　　　　　曲：富岡正男　1974

あかるく　のびのびと　♩=60〜72

1. せ い しょ は て ん か ら
2. せ い しょ は て ん か ら

き た て が み ー か み さ ま の こ と ば を つ た え ま す
き た て が み ー イェ ス さ ま の み わ ざ を つ た え ま す

non rit.

せ い しょ は て ん か ら き た て が み ー
せ い しょ は て ん か ら き た て が み ー

100

ちいさいこどもの

詞：北村宗次　1981

曲：山元富雄　1981

すなおなきもちで ♩=100

1. ち い さ い こ ど も の サ ム エ ル は
2. ち い さ い こ ー え で きょう も ま た

か み さ ま の よ ぶ こ え き き ま し た
か み さ ま の よ ぶ こ え き こ え ま す

101 イエスさまが いわれます

詞：佐伯幸雄　1979　　　　　　　　　　　　　　　曲：佐藤泰平　1982

おはなしをするように ♩=100

イェスさまが　　いわれます　「もとめなさい

そ う す れ ば　　あ た え ら れ る で　し ょ う」　　「さ が し な さ い

そ う す れ ば　　み つ け ら れ る で　し ょ う」　　「た た き な さ い

そうすれば　　もんが　ひらかれるで　しょう」

もとめましょう　　さがしましょう　　もんをたたきま　しょう

102　イエスさまのおこえが

詞：佐伯幸雄　1979　　　　　　　　　　曲：小海　基　1979

1. イ　エ　スさまの　お　こ　え　が　き　こ　え　て　く　る　よ
2. か　み　さまの　こ　こ　ろ　が　わ　かって　く　る　よ

1.2. せ　い　しょの　お　は　な　し　みんなできこう

どんなにちいさい

104　　にひきのさかなと

詞：佐伯幸雄　1979　　　　　　　　　　　　　　　　曲：小海　基　1979

1. に　ひ　き　の　　さ　か　な　と　　い　つ　つ　の　　パ　ン　　を　り
2. お　と　な　も　　こ　ど　も　も　　い　な　か　な　　ひ　と　と　は
3. さ　い　ご　に　　の　こ　っ　た　　さ　か　な　と　　ひ　　に
4. せ　い　し　ょ　の　こ　と　ば　を　　し　ん　じ　る　　ひ　と　に

イェ　ス　さ　ま　で　の　　しゅ　い　か　ち　　て　ら　が　　わ　た　あ　　け　べ　ふ　　し　し　ま　　た　た　す
み　ん　う　な　な　に　　い　ご　か　　ぱ　か　ら　　わ　た　あ　　ま　ま　れ　　し　ま　　た　す
じゅ　しゅ　イェ　ス　の

ちいさいこどもら

旧「こどもさんびか」より
改訳：北村宗次　1982

曲：Carrie B.Adamsより
伴奏譜：久世　望　1982

1.「ちいさいこどもら　おいで」　おおきくりょうてを　ひろげ
2. あなたもわたしも　いまは　こころのとびらを　ひらき

イェスさまこどもを　まねく　みんなでおそばに　いこう
イェスさまよろこび　むかえ　みんなでてをとり　すすもう

106

イエスさまは イエスさまは

詞：佐久間彪　1973　　　　　　　　　　　　　　　　　　　　曲：新垣壬敏　1982

1. イエス さ まは　　イエス さまは　し ら んか お で きません
   くるしんでるひと　　こまってるひとが いる と
2. イエス さ まは　　イエス さまは　だ ま ーーって いられません
   かみさ ーまのこ こ ろを　みんなに ーしらせたくて

（おわりに）

それで　イェスさまは　とうとうだいじないのちま

で　つかってしまったのです　ああ　わたしも

イェスさまみたいに　なれたら　なれたら

107

詞：河野　進　1981

イエスさまって

曲：中田喜直　1982

おはなしをするように ♩=96ぐらい

1.「イエス さ まって　おおきいこえで　よびますか」

そう よ でも　ちいさいこえでも　おわかりです

2.「イエス さ まって　てん ごくに　おくらしですか」

そう よ でも　わたしたちのそばに　おいでです

3.「イェスさまって よいこを おすきでしょうか」

そうよ でも おいのりの子を よろこばれます

4.「イェスさまって まずしい だいくさん でしたか」

そうよ でも すべてのひとの すくいぬしです（そうよ）

108

くじゅうくひきを

詞：花房泉一　1979　　　　　　　　　　　　　　　　　　　曲：小山章三　1982

おはなしをするように ♩.=60ぐらい

1. く　　じゅう　　くひきを　　のはらにおいて　ー
2. ひ　　とり　　ぼっちで　　メエメエないた　ー

ま　い　ご　の　ち　い　さ　い　ひ　つ　じ　さ　ん　ー
ま　い　ご　の　ち　い　さ　い　ひ　つ　じ　さ　ん　ー

さ　がし　に　でかける　　　ひ　つじ　か　い　ー
み　つけ　て　よろこぶ　　　ひ　つ　じ　か　い　ー

（おわりに）

すこしはやく　♩.=66ぐらい

しゅイェス　は　　わたしの　　ひ　つじ　か　い　ー　　ぃ　ー

109 ふねがきます

詞：佐久間彪　1981

曲：佐久間彪　1981
編曲：新垣壬敏　1982

1.～3. ふ　ね　が　き　ま　す　ちかづいてきます

1. お　お　き　な　マ　ス　ト　に　ほ　を　はっ　て　い　ま　　す
2. て　ん　し　が　た　く　さ　ん　ほ　ら　のっ　て　い　ま　　す
3. キ　リ　ス　ト　さ　ー　ま　を　は　こ　ん　で　き　ま　　す

（おわりに）

ようこそ　　イェスさま　　わたしたちの　　すくいぬし

おまちしていま　ーした　ー

110

かみのひとりご

詞：花房泉一　1982

曲：Oscar Ahnfelt
伴奏譜：二俣松四郎　1982

1. か　み　の　ひ　と　り　ご　か　み　の　ひ　と　り　ご
2. か　み　に　は　さ　か　え　か　み　に　は　さ　か　え
3. こ　の　よ　の　ひ　か　り　こ　の　よ　の　ひ　か　り

ま　ぶ　ね　の　な　か　に　ね　む　る　く
て　ん　し　の　う　た　が　ひ　び　く　し
か　み　の　め　ぐ　み　の　し　る　し

とてもさむい

詞：小塩 節 1982

曲：ポーランド・カロル
伴奏譜：久世 望 1982

112

いばらのかんむり

詞：桃井綾子　1981

曲：山元富雄　1981

しずかに おもいをこめて ♩ = 46~50

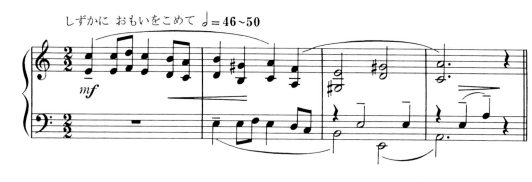

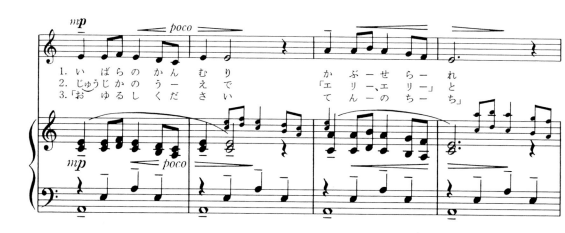

1. い　ば　ら　の　か　ん　む　り　　　　　か　ぶ　ー　せ　ら　ー　れ
2. じゅうじ　か　の　う　ー　え　で　い　　　「エ　リ　ー、エ　リ　ー」と
3. 「お　ゆ　る　し　く　だ　さ　い　　　て　ん　ー　の　ー　ち　ー」

じゅ　　うじ　　か　ー　せ　お　ー　って　　あ　る　ー　か　れ　ー　　る　る
かい　　みの　ー　って　ー　み　あ　び　と　さ　け　ー　ば　れ　ー　　イェ イェ
　　　　　　　　　　　つ　み　げ　て　　　ゆ　る　ー　さ　れ　ー　　　イェ

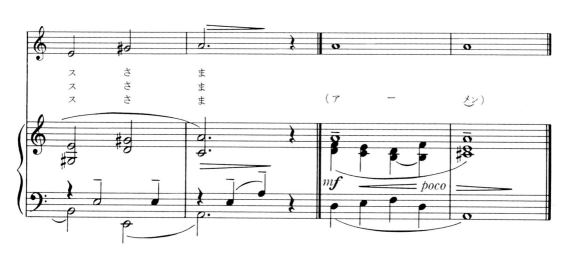

スス　　さ　さ　ま　ま
スス　　さ　さ　ま　ま　　　　（ア　ー　メ　ン）

113　くさのめ きのめが

詞：高橋萬三郎 1975　　　　　　　　　　　　　　　　　曲：小森昭宏　1982

あかるく ♩=126～132

1. く さ の め　き の め が — 　　め を さ ま し と
2. た ま ご の　な か か ら — 　　ピ ヨ ピ ヨ と が
3. お は か を　や ぶ っ て — 　　イ エ ス さ ま が

ぽ っ か り　お か お　だ し ま し た よ
か わ い く　お ひ す が　と び せ た ひ か が
か が や く　す が た　み せ た ひ か か

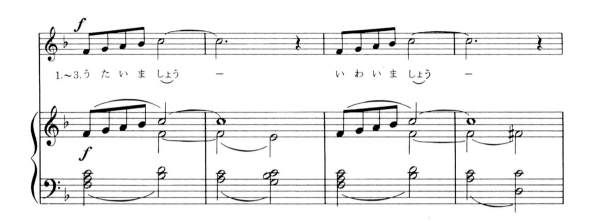

1.～3.うたいましょう　―　　いわいましょう　―

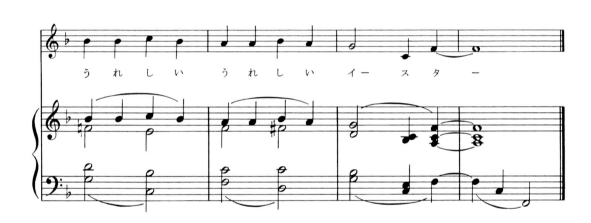

うれしい　うれしい　イ　ー　ス　タ　ー

114

ちいさい いのちが

詞：佐伯幸雄　1979　　　　　　　　　　　　　　　　　　　　　　　　　曲：佐藤泰平　1982

歌詞（1番）：
いのちが つちのなか そとのさむさに まけないで むしも かえるも まっている はるがくるのをまっている

歌詞（2番）：
いのちが つちのなか はるがのやまに ちかづくと むしも かえるも めをさます はるがきたのでめをさます

（おわりに）

かみさま　いのちを　つくられ　る　ハ　レ　ル

ヤ　ー　ハ　レ　ル　ヤ　ー

115A　　イースターのあさはやく

詞：今橋　朗　1983

曲：真鍋理一郎　1983

1.イ ー ス タ ー の あ さ は や く
2.イ ー ス タ ー の ゆ う が た に
3.イ ー ス タ ー の よ う か め に
4.せ か い の ひ と び と が

マ リ ア が の お は か で な い て い た と き と と も
ふ た り し の お で な い っ て ト マ ス が い う て
「ぼ く し だ め な じ な だ」と た と ー え いっ て
「も う だ め な じ な だ」と た と ー え いっ て

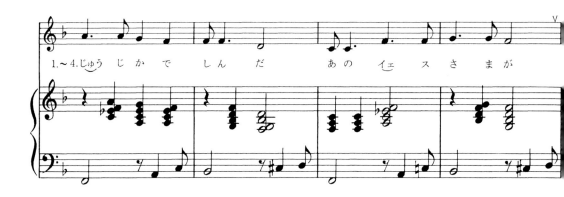

1.〜4.じゅう じ か で し ん だ あ の イ ェ ス さ ま が

（おわりに）

1. しずかに　　よびかけ　　た
2. いーっしょに　　あるいて　　た
3. へやーに　　はいーって　き　た
4. みんなの　　きぼうなの　だ

あ　あ　キリスト　は

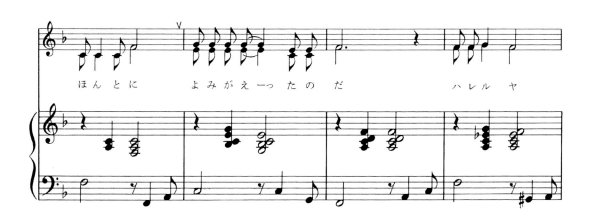

ほんとに　　よみがえーったのだ

ハレル　ヤ

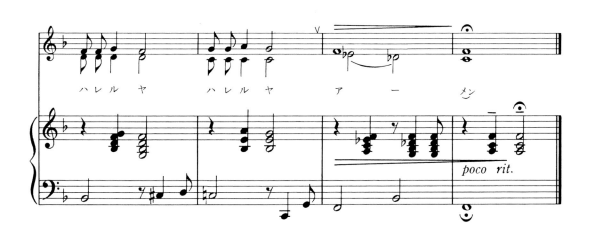

ハレル　ヤ　　ハレル　ヤ　　ア　ー　　メン

poco rit.

115B　　　イースターのあさはやく

詞：今橋　朗　1983

曲：小山章三　1983

♩=126

1. イースターの　あさはやく　　マリヤがおはかで
2. イースターの　ゆうがたに　　ふたりのおでしが
3. イースターの　ようかめに　　「ぼくしんじない」って
4. せかいの　　　ひとびとが　　「もうだめなんだ」と

ないていた　とき
たびしていた　とき　とも　　　じゅうじかで　しんだ　あ
トマスが　いう　とも
たとえいって　も

の　イエスさまが

しずかによ　び　かけ　た
いっしょにある　いて　き　た
へーやにはいって　き　た
みんなのきぼう　な　の　だ

（おわりに）

あ　あ　キリストは　ほ ん と う に　よ み が　えったの

だ　ハ レ ル ー ヤ ハ レ ル ー ヤ　ア ー　メン

116   まごころこめ

「日曜学校讃美歌」より
改訳：原　　恵　1983

曲：作者不詳

まごころこめ　ささげます

このたからと　このわたし

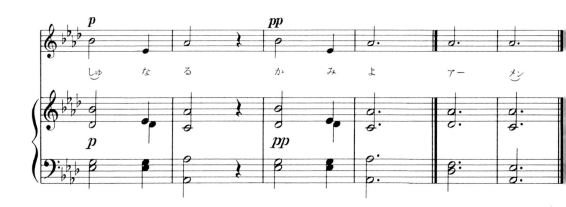

しゅなる　かみよ　アーメン

サ ウ ロ よ

117

詞：対馬美恵子 1981

曲：福田和禾子　1982

ちからづよく ♩.=54

1.「サ　ウ　ロ　よ　サ　ウ　ロ」と　　イェ　ス　さ　ー　ま　は　ー　ひ
2.そ　の　と　き　サ　ウ　ロ　は　　ち　に　た　ー　お　れ　ー　しゅ
3.な　ま　え　も　パ　ウ　ロ　と　　あ　ら　た　ー　め　て　ー　しゅ
4.「わ　た　し　は　しゅ　で　あ　る　　さ　あ　い　ー　け」と　ー　しゅ

か　　り　の　　な　　か　　か　ら　　　よ　　び　か　ー　け　　た　　ー
イェ　ス　の　　ち　　か　　ら　で　　　か　　え　ら　ー　れ　　た　　ー
イェ　ス　の　　し　　か　　も　べ　に　　ひ　　び　き　ー　ま　　す　　ー
イェ　ス　の　　み　　こ　　え　が　　　ひ　　び　き　ー　ま　す　ー

118

イエスさまとよんだら

詞：岩崎鈴子　1981　　　　　　　　　　　　　　　曲：織田恭博　1982

こ　ーころがあ　　つく　　なってきた
み　ーんながうれしく　なってきた
ど　ーんどんちからが　わいてきた

イェ　スさまは　　あた　た　　か　　い
(イェ)スさまは　　よろ　こ　　び　　だい
(イェ)スさまは　　すば　ら　　し　　い

（コード進行の例）

やさしいめが

詞：深沢秋子　1974　　　　　　　　　　曲：小山章三　1975

1. やさしい め が　　　きよらかな め が
2. おおきな て が　　　あたたかい て が
3. かぎりの な い　　　ひろいこころ が

きょう も　　わたしを　　みていてくださ る　「まっ
きょう も　　わたしを　　ささえてくださ る　「はな
きょう も　　わたしを　　まもってくださ る　「やす

すぐに　　あるきなさい」と　みていてくださ る
れずに　　あるきなさい」と　ささえてくださ る
らかに　　あるきなさい」と　まもってくださ る

120

どんなときでも

どこまでいっても

詞：佐久間彪　1964

曲：小山章三　1982

122

はじめておいのり

詞：小海 基 1981

曲：小海 基 1981

1.～3. は じ め て お い の り　　い た し ま す　　　か み さ ま

1. う ち の と う さ ん　 か あ さ ん を　　 お ま も り く だ さ い　　 ア ー メン
2.(※に わ の ポ チ の　 は ら い た を　　 な お し て く だ さ い)　 ア ー メン
3. な に も い う こ と　 な い け れ ど　　 い っ し ょ に い て よ ね　 ア ー メン

※( )内は，友だちのこと，お願いしたいことなどを自由に入れる。
　或いは伴奏だけで黙禱し，各自の祈りをしてもよい。

かなしいときにも

曲：フィンランドの子供の歌
伴奏譜：久世 望 1982

詞：佐伯幸雄 1979

ねがいをこめて くらくならないで ♩=88

1. かなしい ときにも さびしいー ときも
2. うれしい ときには かんしゃのー こころ

イェス さま わたし に ちからを くだ さーい
イェス さま わたし に おしえて くだ さーい

124 おやすみ

原詞：アルメニアの子守歌　　　　　　　　　　　　　　曲：アルメニアの子守歌
訳詞：佐伯幸雄　1979　　　　　　　　　　　　　　伴奏譜：佐藤泰平　1982

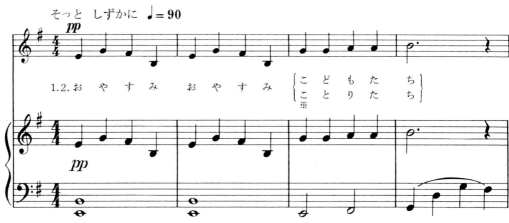

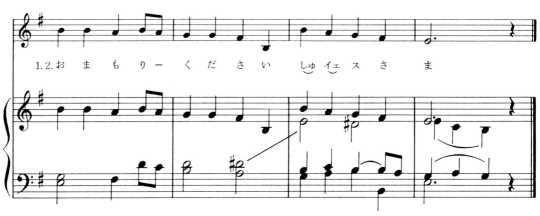

※「ことり」のところは自由に入れてよい。

みんなねむった

詞：安田冨貴子 1961   曲：佐藤泰平 1980

1. みん　な ね むった　ほ し の よ に
2. みん　な ね むった　そ の あ い だ
3. それ　は よ まわり　ば ん に ん さん

み み ず く お じ さ ん　か ん が え た　ホー　ホー　　ホー　ホー
か み さ ま お し ご と　く だ さ っ た　ホー　ホー　　ホー　ホー
こ ん や も お や ま を　ひ と め ぐ り　ホー　ホー　　ホー　ホー

（ホー　ホー）　　　（ホー　ホー）

126

つきはそらから

原詞：Matthias Claudius 1779
訳詞：今橋 朗 1983

曲：J.A.P.Schulz 1790

1. つきはそらから もりをてらし てよもへ
2. ひるまげんきに あせそんだなく にまを
3. かみさまこんやせかいのくにを

るはしずかな まちものはら もこおさ
うねたかして はたらきつかれたや
いわにかし びょうきのひと れたさ

とりものは なともよおきいゆめをみさ ていを
となりのいひとにもきぼうなさみ
みしひとにきぼうあさ

イエスさまの じゅうじかを

詞：蒔田教会教会学校生徒 　　　　　　　　　曲：高江洲義寛　1982

1.2. イエスさまの じゅう じかーを みている と

1.「い やなこ とでーも やることが あるよ」って
2.「ど うせやるなーら しぬまーで やれよ」って

1.2.い われてー いーーる みたい だ

（琉球旋法の音階）

128

<h1 style="text-align:center">お は よ う</h1>

詞：佐伯幸雄　1979　　　　　　　　　　　　　　　　　　曲：佐藤泰平　1979

おはよう　おはよう　イェスさま　おは－よう

みんな　いっ　しょに　お　は　よう

どんどこ どんどこ

詞：高橋 潮 1970

曲：高橋 潮 1970

1. どんどこ どんどこ あるいて ゆけば
2. どんどこ どんどこ あるいて ゆけば
3. どんどこ どんどこ あるいて ゆけば

どんどこ どんどこ ともだちが きて どんどこ どんどこ ふたりに なって
どんどこ どんどこ ともだちが きて どんどこ どんどこ よにんに なって
どんどこ どんどこ ともだちが きて どんどこ どんどこ はちにんに なって

きみ も わらって ぼく も わらって かみ さまの
きみ も うたって ぼく も うたって かみ さまの
みん な なかよく かた を くんで かみ さまの

こどもに なって どんどこ どんどこ あるいて ゆけ ば
こどもに なって どんどこ どんどこ あるいて ゆけ ば
こどもに なっ て どんどこ どんどこ あるいて ゆけ ば

打楽器的な不協和音の効果を出すため、コード・ネームと伴奏譜の和音とが一致しないところもある。

130

さあ てをくんで

詞：阪田寛夫　1981

曲：寺島尚彦　198

あかるく ♩=108

1. さ　あ　　てをくんで　　ありがとかみさ　ま
2. さ　あ　　めをとじ　　いのろうみんな　で

だ　い　じ　な　　きょうのひは　　い　の　ち　を　　うけたひよ
だ　い　じ　な　　ともだちが　　い　の　ち　を　　うけたひよ
（〇〇ちゃん）

legato

そ ーらにも のはらにも ひかるよかぜ
て ーあしも めもくちも ひかるように

う ーれしいあ さ
う ーれしいあ さ

（おわりに）
そ ーらにも のはらにも ひかるよ、か ぜ

う ーれしいあ さ

131　みんなで みんなで

詞：島崎光正　1981　　　　　　　　　　　　　　　　　　曲：中村佐和子　198

あるくはやさで げんきよく ♩=104

1. みんなでみんなで　わになろう　　イェスさまいっしょに
2. せかいのみんなも　ともだちだ　　イェスさまいっしょに

らん　らん　らーん　　なかよくみんな　　わになろう
らん　らん　らーん　　たのしくいつも　　うたいましょう

みんなでいっしょに

詞：佐伯幸雄　1979

曲：アメリカの曲

1. みんなで　いっしょに　うたいま　しょう
2. おおきな　こえで　うたいま　しょう

グローリィ　ハレルヤ　アー　メン
1.2. Glo - ry,　Hal - le - lu - jah,　A - men.

人数によって，Ⅱ部でもⅢ部でもⅣ部でもよい。

133

<h1 style="text-align:center">は る が き た</h1>

詞：佐伯幸雄　1979

曲：オーストリアの子供の歌
伴奏譜：久世　望　197
合奏譜：佐藤泰平　198

(鉄琴)
(リコーダー)
(鈴)
(タンブリン)

♩=104～108

1.～4.はる が きた ほら やま

に まち に

はどまん
のみくみ
らりさな
ののんで
つはっっ
はの二ヨ
くぱそ
もニ
しもりコ

やあ こんにち は

みどりのわかば

原詞：Violet Farmer and
　　　kindergarten class
訳詞：ギッシュ 陽子 1982

曲：Violet Farmer and
kindergarten class

1. みどりの　わかば　かだんの　なかで
2. はるには　ちょうちょう　きれいな　そらで
3. あきには　きから　おちばを　まいて

すくすく　のばす　かみさま　ま
ひらひら　とばす　かみさま　ま
くるくる　まわす　かみさま　ま

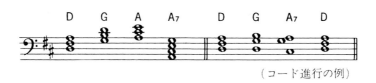

（コード進行の例）

135　　　　　　　はたけにおやさい

詞：高橋萬三郎 1975　　　　　　　　　　　　　　　　　　　　曲：子門真人　1982

♩=80

1. はたけに　おやさい　田におこめ　きにはくだもの
2. みのりの　あきです　うれしいな　てんのかみさま

みのるあき
ありがとう

（コード進行の例）

ロケットにのって

136

詞：阪田寛夫　1981　　　　　　　　　　　　　　　　　　　　曲：磯部　俶　1981

なかよしのきもちで ♩=ca.116

1. ロケットに　のって　　ちきゅうを　みたら　　ちきゅうは
2. めのいろが　ちがう　　ことばも　ちがう　　ちきゅうの
3. よぞらを　ひとり　　みあげて　いたら　　ちきゅうの

あ　お　い　ほ　し　で　し　た　っ　て　　する　と　みん　な　は
う　え　の　こ　ど　も　は　お　お　ぜい　　そ　し　て　みん　な　が
ほ　し　も　あ　か　り　を　と　も　す　　する　と　う　ちゅう　は

みん　な　は　　ほ　し　の　くーに　の　こ　ど　も　た　ち
みん　な　が　　ほ　し　の　くーに　の　こ　ど　も　た　ち
う　ちゅう　は　　か　み　の　くーに　の　こ　ど　も　た　ち

ca.＝circa の略で「およそ」の意

137

きょうだいげんかを

詞：阪田寛夫 1981

曲：大中 恩 1982

1. きょうだいげんかを しないひは
2. しらないどうしで けんかする
3. こころがよわると うらみあい
4. そのくせあるとき わけもなく

とうかにかもと	つきにかんあまいし	いかうなな	むずかしいいたる
いちどってる	にけみあくな	よだかっさっぱり	からなてくし
いなくしきり	きたけがみた	するのは	しなくな
しやさしく	いかみくな	なぜんだれ	わびを

1.～4.かみさまかみさま　かみ　さま　　　　そのわけおしえて

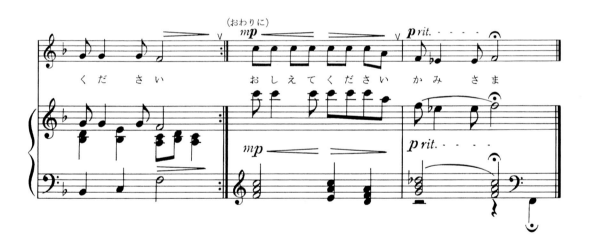

（おわりに）

くだ　さい　　　　おしえてください　かみ　さま

138 イエスさまが きょうかいを

詞：石田直矢　1965　　　　　　　　　　　　　　　　　　　　曲：小山章三　1965

♩=104

1. イエスさまが　きょうかいを　このよから　えらびとり
2. かみさまを　「ちち」とよび　イエスさまを　「しゅ」とあがめ
3. しゅのみてに　まもられて　みなともに　せいちょうし

あたらしい　けいやくを　たてられた　ひのように
みことばの　かてをうけ　みおしえの　みずをのみ
こどもらが　このいえを　すだちゆく　そのひにも

きょうもまた　しゅのまえに　かぞくみな　あつまって
いつのひも　あいしあい　いつのよも　たすけあう
あいのしゅよ　みすくいの　よろこびを　あかしして

みめぐみに　むすばれた　このいえを　ささげます
このいえの　さいわいを　こころから　いのります
かぎりなく　みこころに　そうものと　してください　アーメン

ふんわりけのこひつじ 139

ノルウェーの子供の歌より
改訳：北村宗次　1982

曲：ノルウェーの子供の歌
伴奏譜：久世　望　1982

140A

さようなら グッバイ

詞：佐伯幸雄　1979　　　　曲：大友純子　1979

さようなら グッ バーィ　さようなら みな さーん シャ

ローム　シャ ローム　へいわがあるように　シャ

ローム　シャ ローム　へいわがあるように

「シャローム」は「平安があなたにあるように」という意味

さようなら グッバイ

詞：佐伯幸雄　1979　　　　　　　　　　　　　　　　　　　　曲：小海　基　1979

さ ようなら グッ バーイ さ ようなら みな さーん シャ

ロ ームシャ ロ ーム へいわがあるように シャ

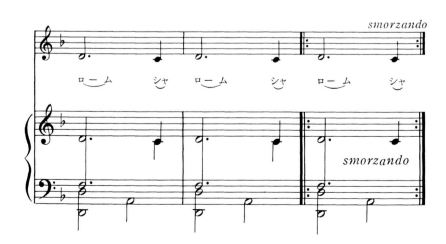

ロ ーム シャ ロ ーム シャ ロ ーム シャ

141 ウリエ イウッソン

(韓 国)

原詞：정 웅섭
訳詞：在日大韓基督教会総会
　　　讃 頌 歌 委 員 会

曲：김 순섭

♩=100ぐらい

1.ウリエ　イウッソン　ヌ　グ　イルカ　ヨ　　　モ　ドゥ　ドル　タ　ハ　ムケ
2.オ　トッケ　ク　ドル　エ　イウ　シ　デルカ　　ウ　リ　ドル　タ　ハ　ムケ

チャ　ヂャ　ボ　ア　ヨ　　　　カ　ナン　ハン　トン　ム　ナ　　ブル　サン　ハン　チング
セン　ガッ　ヘ　バ　ヨ　　　　シ　ウン　イル　ヒム　ドン　イル　カッ　チ　ナ　ヌ　ゴ

ケ　ロ　ウン　サ　ラム　クヮ　　ア　プン　ビョン　チャ　ドル　　モ　ドゥ　ダ　ウ　リ　エ
クン　グ　ナ　チャック　ナ　　　ソ　ロ　ミ　ド　ヨ　　　　ク　レ　ヤ　ウ　リ　ヌン

イ　ウ　シ　エ　ヨ　　　　モ　ドゥ　ダ　ウ　リ　エ　　イ　ウ　シ　エ　ヨ
イ　ウ　シ　エ　ヨ　　　　ク　レ　ヤ　ウ　リ　ヌン　　イ　ウ　シ　エ　ヨ

1. 우리의 이웃은 누구일까요
   모두들 다함께 찾아 보아요
   가난한 동무나 불쌍한친구
   괴로운 사람과 아픈병자들
   모두다우리의 이웃이예요
   모두다우리의 이웃이예요

1. となりびとは だれでしょう
   みんなともに さがそうよ
   よわくまずしい おともだち
   やんでくるしむ ひとたちも
   みんなおなじ となりびと
   みんなおなじ となりびと

2. 어떻게 그들의 이웃이될까
   우리들 다함께 생각 해 봐요
   쉬운일 힘든일 같이 나누고
   크거나 작거나 서로 믿어요
   그래야우리는 이웃이예요
   그래야우리는 이웃이예요

2. となりびとに なりましょう
   みんなともに かんがえよう
   つらいことも ともにして
   ちいさいことも しんじあう
   となりびとに なりましょう
   となりびとに なりましょう

142

ションテシ グァティペ

(台 湾)

原詞：作者不詳
訳詞：今橋 朗 1983

曲：作者不詳
編曲：A.H.Patton 1840

♩=120

1. ション テ シ グァ ティ ペ グァ ティ ペ グァ ティ ペ
2. イァ ソ シ グァ キュウ ツー グァ キュウ ツー グァ キュウ ツー
3. シェン シン シ グァ シェン シィー グァ シェン シィー グァ シェン シィー

ション テ シ グァ ティ ペ イ チャウ コ グァ
イァ ソ シ グァ キュウ ツー イ ショッ フェ グァ
シェン シン シ グァ シェン シィー イ カ シ グァ

ア ー メン

1. 上帝是我天父　我天父　我天父
　　上帝是我天父　祂照顧我

1. てんのかみは　わたしたちの
　　ちちなるかみ　あいの主

2. 耶穌是我救主　我救主　我救主
　　耶穌是我救主　祂贖回我

2. みこイェスこそ　わたしたちの
　　つみをすくう　キリスト

3. 聖神是我先生　我先生　我先生
　　聖神是我先生　祂教示我
　　　　　　　　　　　　阿們

3. みたまの主は　わたしたちを
　　キリストへと　みちびく
　　　　　　　　　　　　アーメン

143

コスレ ボナヨ
（ネパール）

詞：作者不詳

曲：作者不詳

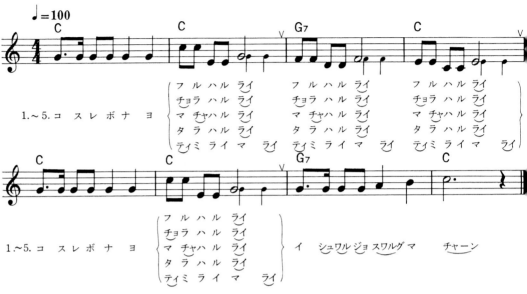

♩=100

1.～5. コ ス レ ボ ナ ヨ

フ ル ハ ル ライ	フ ル ハ ル ライ	フ ル ハ ル ライ
チョ ラ ハ ル ライ	チョ ラ ハ ル ライ	チョ ラ ハ ル ライ
マ チャ ハ ル ライ	マ チャ ハ ル ライ	マ チャ ハ ル ライ
タ ラ ハ ル ライ	タ ラ ハ ル ライ	タ ラ ハ ル ライ
ティ ミ ライ マ ライ	ティ ミ ライ マ ライ	ティ ミ ライ マ ライ

1.～5. コ ス レ ボ ナ ヨ

| フ ル ハ ル ライ |
| チョ ラ ハ ル ライ |
| マ チャ ハ ル ライ |
| タ ラ ハ ル ライ |
| ティ ミ ライ マ ライ |

イ シュワル ジョ スワルグ マ チャーン

（コード進行の例）

1. कसले बनायो	1. だれがおつくりになったの
フ ルハルヲ ライ	花 花
ईश्वर जो	かみさま
स्वर्गमा छन्	てんにいらっしゃる
2. चरा हरूलाई	2. 鳥 鳥
3. माछाहरूलाई	3. 魚 魚
4. ताराहरूलाई	4. 星 星
5. तिमीलाई	5. きみと（あなたと）
मलाई	ぼく（わたし）

この邦訳は曲の韻律に合わせたものではない。
ネパールのこどもさんびか　協力　岩村昇

交 読 文

交読文の用い方

　交読文は、聖書のみことばや賛美を互い
に呼びかけ合い、歌い交わす対話の形です。
用い方としては、司会者・生徒が交互に一
行ずつ唱える形のほかに、生徒を二つのグ
ループに分けて交読してもいいし、二人の
代表者が交読することもできます。さらに
男子と女子、おとなと子供のような分け方
で用いることもできます。

日本基督教団教育委員会編

（9）詩8篇より

司会者　主、われらの主よ、あなたの名は地にあまねく、

生　徒　いかに尊いことでしょう。

司会者　あなたの栄光は天の上にあり、

生　徒　みどりごと、ちのみごとの口によって、ほめたたえられています。

司会者　主、われらの主よ、あなたの名は地にあまねく、

生　徒　いかに尊いことでしょう。

　　　　　（通常用、子供の日、幼児祝福式、クリスマス、公現日）

（10）詩27篇より

司会者　主はわたしの光、わたしの救だ、

生　徒　わたしはだれを恐れよう。

司会者　主はわたしの命のとりでだ。

生　徒　わたしはだれをおじ恐れよう。

司会者　主を待ち望め、強く、かつ雄々しくあれ。

生　徒　主を待ち望め。

　　　　　（通常用、アドベント、キャンドル・サービス、葬式）

（11）詩46篇より

司会者　万軍の主はわれらと共におられる、

生　徒　ヤコブの神はわれらの避け所である。

司会者　来て、主のみわざを見よ、

生　徒　主は驚くべきことを地に行われた。

司会者　主は地のはてまでも戦いをやめさせ、

生　徒　弓を折り、やりを断ち、戦車を火で焼かれる。

司会者　静まって、わたしこそ神であることを知れ。

生　徒　主は全地にあがめられる。

　　　　　（通常用、クリスマス、平和聖日、宗教改革記念日）

（12）詩 51 篇より

司会者　神よ、わたしのために清い心をつくり、

生　徒　新しい、正しい霊を与えてください。

司会者　わたしをみ前から捨てないでください。

生　徒　あなたの聖なる霊をわたしから取らないでください。

司会者　あなたの救の喜びをわたしに返し、

生　徒　自由の霊をもって、わたしをささえてください。

（通常用、新年礼拝、ペンテコステ）

（13）詩 72 篇より

司会者　イスラエルの神、主はほむべきかな。

生　徒　ただ主のみ、くすしきみわざをなされる。

司会者　その光栄ある名はとこしえにほむべきかな。

生　徒　全地はその栄光をもって満たされる。

司会者　アーメン、

生　徒　アーメン。

（通常用、クリスマス、公現節、イースター、頌栄として用いる）

（14）詩 95 篇より

司会者　われらは主にむかって歌い、

生　徒　喜ばしい声をあげよう。

司会者　主は大いなる神、

生　徒　すべての神にまさって大いなる王だからである。

司会者　海は主のもの、主はこれを造られた。

生　徒　またそのみ手はかわいた地を造られた。

司会者　さあ、われらは拝み、ひれ伏し、

生　徒　われらの造り主、主のみ前にひざまずこう。

（通常用、新年礼拝、キャンプ）

（15）詩 96 篇より

司会者　新しい歌を主にむかってうたえ。

生　徒　全地よ、主にむかってうたえ。

司会者　主にむかって歌い、そのみ名をほめよ。

生　徒　日ごとにその救を宣べ伝えよ。

司会者　もろもろの国の中にその栄光をあらわし、

生　徒　そのくすしきみわざをあらわせ。

（通常用、公現節、賛美礼拝、伝道集会）

（16）詩 100 篇より

司会者　全地よ、主にむかって喜ばしき声をあげよ。

生　徒　歌いつつ、そのみ前にきたれ。

司会者　われらを造られたものは主であって、

生　徒　われらは主のものである。

司会者　｝
生　徒　｝われらはその民、その牧の羊である。

司会者　感謝しつつ、その門に入り、

生　徒　ほめたたえつつ、その大庭に入れ。

司会者　主に感謝し、そのみ名をほめまつれ。

生　徒　主は恵みふかく、そのいつくしみはかぎりなく、

司会者　｝
生　徒　｝そのまことはよろず代に及ぶからである。

（通常用、賛美礼拝、感謝祭）

（17） 詩 121 篇より

司会者　わたしは山にむかって目をあげる。

生　徒　わが助けは、どこから来るであろうか。

司会者｝
生　徒｝　わが助けは、天と地を造られた主から来る。

司会者　主はあなたを守る者、

生　徒　主はあなたの右の手をおおう陰である。

司会者　昼は太陽があなたを撃つことなく、

生　徒　夜は月があなたを撃つことはない。

司会者　主は今からとこしえに至るまで、

生　徒　あなたの出ると入るとを守られる。

（通常用、キャンプ、年末年始、葬式）

（18） 詩 130 篇より

司会者　主よ、わたしは深い淵からあなたに呼ばわる。

生　徒　主よ、どうか、わが願いの声を聞いてください。

司会者　わたしは主を待ち望みます。

生　徒　わが魂は待ち望みます。

司会者｝
生　徒｝　そのみ言葉によって、わたしは望みをいだきます。

司会者　イスラエルよ、主によって望みをいだけ。

生　徒　主には、豊かなあがないがあるからです。

司会者｝
生　徒｝　主はイスラエルをそのもろもろの不義からあがなわれます。

（受難節、アドベント、聖書朗読または説教前）

聖句引照索引

用途・項目索引

下記の歌はそれぞれの歌集等から許可を得て，本書に転載したものです。
ここに記して感謝の意を表します。

88（詞，曲）「小さい祈りの本」（1970）あかし書房刊	129（詞，曲）「キミとぼくの77曲」（1971）
89（詞，曲）「小さい祈りの本」（1970）あかし書房刊	NSKK青年の歌委員会編，日本聖公会出版事業部刊
92（詞）「こどものせかい」（1967）至光社刊	135（詞）「雪あかり」（1975）高橋萬三郎著・刊
99（詞，曲）「こどものさんびか」第3集（1978）	141（詞，曲）「어린이 찬송가」（1983）
こどものさんびか同人会編著，龍吟社刊	在日大韓基督教会総会讃頌歌委員会編
106（詞）「こどものせかい」（1973）至光社刊	在日大韓基督教会総会教育局刊
113（詞）「雪あかり」（1975）高橋萬三郎著・刊	142（詞，曲）「聖詩」（1964）台湾基督長老教会
121（詞）「こどものせかい」（1964）至光社刊	教会音楽委員会編，台湾教会公報社刊
123（詞）「キリストの愛－新しい讃美の曲集No.2」	交読文「聖書」（1955）日本聖書協会刊
（1983）教会音楽創作の集い編・刊	

なお下記の歌は日本基督教団出版局既刊の讃美歌集から転載したものです。

105（曲）「こどもさんびか」（1954）	119（詞，曲）「ともにうたおう」（1976）
日本基督教団教育委員会編	日本基督教団讃美歌委員会編
116（曲）「日曜学校讃美歌」（1950）	138（詞，曲）「讃美歌第二編」（1967）
日本基督教団出版部編	日本基督教団讃美歌委員会編

こどもさんびか2（伴奏用）

1983年12月10日　初版発行
2021年7月15日　15版発行

JASRACの
承認に依り
許諾証紙
貼付免除

日本基督教団
編集　讃美歌委員会
発行所　日本基督教団出版局
〒169－0051 東京都新宿区西早稲田2丁目3-18
電話 03-3204-0422（営業），03-3204-0425（讃美歌委員会）
https://bp-uccj.jp

版下浄書　サワイ楽譜　　印刷・製本　河北印刷株式会社

日本音楽著作権協会（出）許諾第8362014－115号
ジャスラック
JASRAC
ISBN978-4-8184-3021-1 C0073　　日キ販

Printed in Japan